KB096714

떠돌이 개 덕구

떠돌이 개 덕구

글/그림 김태희

2024 개정판

떠돌이 개 덕구 [2024 개정판]

발 행 | 2024년 01월 30일
저 자 | 김태희
펴낸이 | 한건희
펴낸곳 | 주식회사 부크크
출판사등록 | 2014.07.15.(제2014-16호)
주 소 | 서울특별시 금천구 가산디지털1로 119 SK트윈타워 A동 305호
전 화 | 1670-8316
이메일 | info@bookk.co.kr

ISBN | 979-11-410-6920-9

www.bookk.co.kr

떠돌이 개 덕구

[2024 개정판]

김태희 지음

CONTENT

머리말

글 / 그림 김태희

2014년 서울에서 태어난 김태희는 작가가 꿈입니다. 집에서 글쓰기와 그림그리기를 매우 좋아하는 김태희는 A4 용지를 이용해 그림책을 만들며 작가의 꿈을 꾸고 있습니다.

그러던 중 '떠돌이 개 덕구'라는 이 책을 수개월을 걸쳐 썼습니다. 김태희가 손으로 A4 용지에 그림과 글로 '떠돌이 개 덕구' 책을 쓴 것을 아빠가 컴퓨터로 그대로 입력하여 부크크를 통해 책을 출판하게 되었습니다.

이 책을 출판할 수 있게 김태희에게 재능을 주신 하나님께 먼저 감사드리며 김태희에게 처음 출판되는 이 '떠돌이 개 덕구' 책이 용기와 꿈을 주기를 바랍니다. 김태희를 위해 늘 기도해 주시는 가족 모두에게 감사드립니다.

'떠돌이 개 덕구'를 읽고 모든 사람이 꿈과 희망을 품기를 바라며 이 책을 추천해 드립니다.

제1화 헛간의 대장

"빨리 헛간으로 들어가!

여우들이 오기 전에 말이야!"

헛간의 대장 수탉이 말했다.

이제 막 봄이 온다.

여우들은 농장에 밤에 몰래 농장 동물들이 사는 집에 들어가 난리를 피운다. 잡아먹기도 하고...

그래서 헛간의 대장 수탉이 이렇게 말한다.

수탉은 말로 매일매일 안전하게 해준다.

하지만 딱 하나 문제가 있다. 바로 뭐냐면 아주아주 우렁차게 거칠게 말한다.

수탉이 그렇게 말할 때마다 모이를 쪼아먹던 비둘기들도, 밭의 씨앗을 쪼아먹던 참새들도 다 놀라서 도망친다.

그게 바로 문제다.

그래서 수탉은 친구가 없다.

왜냐하면 크게 말해서 다들 귀가 아프고, 시끄러우니까...

그러던 어느 날 수탉과 오리들이 계곡으로 물놀이하러 가고 있었다.

그때 부스럭부스럭 소리가 났다.

또 수탉이 우렁차게 말했다.

“모두 피해! 여우야!”

그랬더니 다 피했다.

그런데 이상했다.

들쥐 한 마리만 나오고, 여우는 없었다.

“에이~, 아니잖아!~”

뒤에 옆에 있던 오리 하나가 말했다.

“그... 그럴 수도 있지!~”

이번에 수탉이 초조한 목소리로 말했다.

오리 : “뭐야!, 다 수탉 때문에 놀라고, 힘도 낭비했잖아!”

“그래서 내... 내가 뭐!”

수탉이 또 우렁차게 말하자,

다들 무서워서 입을 다물었다.

“다시 가자!”

수탉이 말하자 오리들 모두 꽥꽥거리며 뒤뚱뒤뚱 걸어갔다.

“오늘은 이 저수지 숙소에서 잔다! 알겠나!”

수탉이 말했다.

“네...네?”

하나의 오리가 말했다.

“여기 숙소에서 잔다고!”

수탉이 말했다.

또 다른 하나의 오리가 말했다.

오리 : “여기에 숙소가 있어요?”

수탉 : “그래!, 저쪽에 풀숲에서 땅을 파고, 땅속에서 들어가서 잔다!”

오리 : “네...”

수탉 : “그럼... 이제 저쪽 풀숲으로 가서 자는 숙소를 만든다!”

오리 : “벌써요? 벌써 자요?”

수탉 : “아니!! 숙소를 만들고 좀 놀겠지...”

오리 : “우와~ 신난다!! 예!!!”

오리 : "애들아~ 조ㅇ...."
오리 : "애들아~ 우리 논대~"

수탉 : "조용히 해라!!!"
그렇게 또 수탉이 우렁차게 말하자, 모두 입을 다물었다.

수탉 : "자! 얼른 숙소에 가서 숙소를 만든다!
숙소는 자기 자리에서 한 마리만 잘 수 있다. 알겠나?"
오리 : "네! 대장님!"

그렇게 모두 언덕을 지나 계곡을 건너 다리를 지나고,
연못 징검다리를 건너서 다들 숙소에 도착했다.
수탉 : "이제 모두 자기 숙소 구덩이를 판다! 시작!"
"쓱쓱 싹싹!!!"
숲속 숙소 구덩이를 파는데 소리가 났다.
쓱~싹~
오리 : "아야~!"
누군가 소리쳤다.
굴을 파다가 발톱을 다친 것이다.

수탉이 웃으며 다친 오리를 보며 말했다.

수탉 : “그럴 수도 있지~ 얼른 일어나!”

발톱을 다친 오리가 비틀거리며 일어났다.

그러자 다른 오리들이 왔다.

오리 : “괜찮아?”

오리 : “아프지 않아?”

수탉 : “아이~, 별것도 아니야!
빨리 자기 굴이나 다들 파!”

오리 : “네~”

수탉 : “목소리가 작다! 다시!”

오리 : “네!!!”

그러자 또 굴을 파다가 또 발톱을 다친 오리가 나타났다.

오리 : “아야!”

그렇게 발톱을 다친 오리들이 아홉 마리나 생겼다.

오리1 : “아야!”

오리2 : “아야!”

오리3 : "아야!"

오리4 : "아야!"

오리5 : "아야!"

오리6 : "아야!"

오리7 : "아야!"

오리8 : "아야!"

오리9 : "아야!"

수탉 :"알겠다! 알겠어!, 좀 쉬었다 하자구!"

오리 : "네~"

오리 : "예!!! 쉰대!"

수탉 : "놀아도 좋다!"

오리 : "예!!! 신난다!!!"

오리들이 숨바꼭질도 하고, 물놀이도 하고 재미있게 놀자,

수탉도 놀고 싶어서 같이 끼어들어서 놀았다.

오리 : "그 봐요! 놀으니깐 재미있죠?"

오리 한 마리가 수탉에게 말을 걸었다.

수탉 : "응!"

수탉이 웃으며 대답하자 다른 오리들도 수탉과 조금 친해진 것 같다.

"윙~윙~윙윙~"

갑자기 벌들 소리가 났다.

오리 : "으악!!!"

갑자기 한 오리가 말했다.

바로 꿀을 먹으려고 꿀벌 집을 톡톡 건드려서 꿀벌들이 화가 나서 쫓아오고 있었다.

수탉 : "으악! 빨리 도망쳐!"

수탉이 또 우렁차게 말했다.

그렇게 모두 꿀벌들한테 잔뜩 쏘이고도 꿀은 먹고 싶었다.

오리 : "아하! 내가 꿀벌 집을 톡톡 건드린 나뭇가지에 꿀이 조금 묻어 있어! 자! 같이 나누어 먹자~"

오리 : "그래!!! 고마워~"

오리 : "음... 맛있다! 정말 맛있어!"

오리 : "다행히 이렇게 꿀은 나누어 먹을 수 있어서 좋다! 다시는 꿀벌한테 가서 안 쏘여야지..."

모두 꿀을 다 먹고 다시 숙소를 지었다.

수탉 : "자! 다들 숙소를 다 지었지?"

오리 : "네!!!"

그렇게 모두 숙소에서 자고 다음 날에 다시 농장으로 갔다.

제2화 마당의 대장

“요즘 형이 이상해.”

마당의 대장을 생각하고 말하고 있는 불독

마당의 사고뭉치 대장 덕구가 말했다.

“요즘 우리 형 덕군이 형은...

밤마다 시끄럽게 하고, 낮에 물탱크 쪽에서 사고를 내...

그리고 농장 주인아저씨의 무서운 개... 엄청 무서워!

왜 무서운 개냐면...

옛날에 둘이 둘도 없는 단짝 친구였지만,

요즘은 사이가 안 좋아졌어.

왜 사이가 안 좋은지는 모르겠다!

내가 물어보면, "그 개한테 가까이 가지도 마!"하고

무서운 개는 너무 무서워서 못 가고...

혹시 둘이 무슨 일이 있어서 형이 저러는게 아닐까?"

덕구는 맨날 그렇게 생각했다.

"에이! 이런 생각 말고 오리랑 놀아야겠다.

하지만, 오리들은 내가 잡아먹을까 봐 무서워서 도망가지...

그냥 낮잠이나 자야지~"

덕구가 낮잠을 자는데 또 덕구의 형, 덕군이가 무서운 개와 또 싸운다.

"크르릉!~ 왈! 왈왈!!"

그때 농장주인 남자가 와서 말했다.

"애네들!!!

또 싸우네!!!

칸막이를 또 해야겠다."

"우~ 왈왈!!!"

"으~릉~ 왈왈!!!"

서로 칸막이를 하는 것이 싫은가 보다.

하지만 농장주인이 이미 떼어내고, 칸막이를 설치하여 싸울 수가 없었다.

물론 덕구도 들어갈 수가 없었다.

"뭐야! 나... 형한테 못 들어가?"

덕구가 형을 보며 말했다.

제3화 헛간의 대장 VS 마당의 대장

"자! 2022년 6월 25일 토요일
6.25전쟁의 일로 몸싸움 경기가 열립니다!
1등 상은 금색 트로피입니다!!!"

"우와~ 6.25전쟁의 일로 몸싸움 경기가 열리나 봐~"

그때 덕구가 말했다.
덕구 : "형! 형!, 우리 참석하자!!!"
덕균 : "그래!!!"
그때 덕구가 말했다.

덕구 : "둘이 한 팀으로 되어서 싸울 수 있대!!!"
덕군 : "좋아! 그럼, 우리 둘이 한 팀으로 나가자!"
덕구 : "좋아!"

"자, 자~ 경기가 열립니다."
덕구 : "우리 참여했지? 형!"
덕군 : "응!"

"자, 시작!"

덕구 : "어~ 재는 마당의 떠돌이 오리인데?"
덕구가 말했다.

덕군 : "어? 상대방은 암탉이네~"
덕군이가 말을 덧붙였다.

"자~자, 이제 싸움 시작!"

"크르릉!!! 왈왈!!!"
"형! 형!
오리와 암탉이 어떻게 개소리를 내는 거야?"

"어...어? 그... 그러게..."
그때 암탉이 세게 오리를 너무 쪼아서 오리가 쓰러졌다.
"크억!!!"

"네~ 암탉이 이겼습니다!!!"

암탉이 다음에는 개와 싸웠는데 또 암탉이 이겼다.
"우와~ 암탉이 만만치 않은데?..."
덕구가 말했다.
"그... 그러게..."
덕군이도 말했다.

"자, 이제 결승전!"

그때 "띠링" 하고 표가 수탉 vs 암탉으로 바뀌었다.
수탉이 암탉을 이겼다.
그리고 표가 또 덕구, 덕군이 vs 수탉으로 바뀌었다.

"어떡하지?"
"우리 질 수도 있는데...형!"
덕구가 풀죽은 목소리로 말했다.

“괜찮아, 우린 할 수 있어!”

덕군이가 말했다.

“그... 그래!”

덕구가 다시 말했다.

그렇게 덕구와 덕군이가 경기장으로 들어갔다.

“자! 시작!”

순간 수탉이 덕구를 쪼았다.

“으악! 아파!”

덕구가 소리쳤다.

"이얍!"

퍽!

순간 덕군이가 덕구가 쪼이는 걸 보고 너무 화가 나서 다리로 수탉의 옆구리를 쳤다.

"꼬끼끼이이이~ 오!!!"

수탉이 소리를 지르며 미끄러지며 쓰윽 섰다.

그때 덕구와 덕군이가 수탉의 목을 물어서 던지고 넘어뜨렸다.

"크헉!" 쾅!

경기장을 벗어나 엄청난 속도로 수탉이 날아가면서 넘어지고 쓰러진 것이다.

"네! 덕구, 덕군이가 이겼습니다!!!"

"예!!! 우와~ 짝짝짝!!!"

엄청난 큰소리로 손뼉을 쳤다.

"예! 형! 우리가 이겼어! 우와! 신난다! 예!"

그렇게 덕구와 덕군이가 이겼다.

수탉이 말했다.

"이런~ 잘 피했으면 이길 수 있었는데..."

“잘 피했어야지.” 덕군이가 웃으며 말했다.
“맞아!” 덕구도 말했다.

수탉은 저서 시무룩한지 작은 목소리로 말했다.
“한 마리 VS 두 마리로 싸우면 당연히 수가 많은 두 마리가 이기지...”
“아니지! 우리처럼 열심히 싸우면 너도 이겨!”
덕군이가 당당하게 말했다.

“아니야!”
“아니야!”

자자!, 오늘의 우승자는 덕구, 덕군이입니다.

“예~ 우와~”
“예~ 내가 응원했던 덕구, 덕군이 선수가 이겼다!”
수탉은 동물들의 웃음거리가 될까 봐 얼른 경기장을 벗어나서 도망쳤다.
“잠깐만요! 수탉 씨!
이 은 트로피 가지고 가셔야죠!”

수탉이 다시 은 트로피를 가지러 왔는데 이미 수탉을 보고 웃어서 수탉은 동물들의 웃음거리가 되었다.

수탉은 은 트로피를 가지고 얼른 도망쳤다.

수탉이 도망치는 것을 보고 놀리며 웃었다.

“하하! 저것 좀 봐~ 엄청 웃겨!”

“푸하하하”

“수탉 너, 도망치는 꼴도 엄청 웃기다! 하하!”

온 사방은 수탉 이야기로 뒤덮였다.

수탉의 마음은 모두 검은색으로 뒤범벅이 되었다.

그런데 수탉은 아무 말도 하지 않았다.

그러나 울면서 작게 “나는 졌어, 나는 졌어”라고 말했다.

그런데 덕구는 조금 수탉이 불쌍하고, 수탉에게 미안한 마음이 들었다.

하지만 이미 일어난 일이라서 시간을 돌릴 수는 없다.

“덕군이 형! 그런데 수탉 있잖아... 그 수탉이 조금 불쌍하지 않아?”

덕구가 걱정하는 마음으로 형에게 말했다.

“아니지! 수탉이 자기가 안 피해서 진 거지! 지면 끝나고 지면 진 거지!”

“아... 아니... 그... 그래도... 어... 어... 내 말은....

수탉이 저렇게 웃음거리가 되어서 불쌍해서...”

"그럼, 그런 거지!!"

덕군이는 그렇게 말하고서는 금 트로피를 받으러 갔다.
"가... 같이가!"
덕구도 말하고는 덕군이를 뒤따라갔다.

자! 금 트로피를 받은 덕군이 개에게 박수!!!

"짝! 짝! 짝!"
"이 금 트로피를 받은 덕군이 개는 용감하게 싸웠습니다. 그래서 이 금 트로피와 상장을 줍니다."
"와~ 짝짝짝!"

덕구도 마찬가지로 끝까지 용감하게 싸웠다고 상을 받았다.

제4화 모험과 길

덕구는 몸싸움 경기에서 이겨서 기분이 너무너무 좋아서 잠을 잘 수가 없었다.

“야! 부스럭대지 좀 마!”

너무 좋아서 웃는 덕구가 부스럭댈 때 덕군이가 잠을 잘 수 없어서 짜증을 내듯 말했다.

하지만 덕구는 잠을 잘 수가 없어서 잠깐 밖에 나갔다.

덕구는 별들을 세고 있을 때 무슨 생각이 났다.

“아하! 내일 아침 일찍 일어나서 모험을 떠나는 거야!

형과 함께 가야지!”

덕구가 형을 깨웠다.

"형! 형! 덕군이 형!"

"아, 야~ 왜?"

"형! 우리 내일 아침에 일찍 일어나서 우리 같이 모험을 떠나는 거야!"

덕군이는 잠시 망설이다가 생각에 잠겼다.

"음... 나는 모험을 떠나는 건 좋아하지만...

나는 또 모험할 때 힘든 일을 싫어하고...

그래! 그렇게 헤집고 다니다 보면 어느 날 좋은 일도 생길 거야!"

덕군이는 결정했다.

"그래! 가자!"

그렇게 덕구와 덕군이는 같이 농장을 나와 모험을 떠나기로 마음을 먹었다.

다음날 덕구와 덕군이는 모험을 떠났다.

다행히도 농장 문이 열려있어서 나갈 수 있었다.

"자! 모험의 길로 출발!"

덕구와 덕군이가 큰 소리로 함께 말했다.

그렇게 그들은 농장을 나와 모험을 떠났다.

비가 들이치고, 소나기가 오는 날

덕구와 덕군이는 차도를 걸어가고 있었다.

그때 오토바이가 슝! 지나가는 바람에 덕구와 덕군이를 치고 갈 뻔했다.

그 순간, 덕구는 충격적인 것을 보았다.

바로 차에 치여 죽은 사슴, 고라니, 고양이 심지어는 말도 두 마리나 차에 치여 죽었다.

그러다가 그만 덕군이가 차에 치여 죽은 사슴한테 가다가 트럭에 부딪혀 차에 치여 죽었다.

덕구는 얼른 덕군이를 향해 달려갔다.

어떻게 살리려고 애를 썼지만, 이미 덕군이는 차에 치여 죽었다.

덕구는 엉엉 울었지만, 운다고 덕군이가 살아나는 일은 생기지 않았다.

덕구는 속상해하며 다시 가던 길을 걸어갔다.

단풍이 든 어느 날, 농장에 오리들은 수탉과 함께 산책하러 갔다.

그 모습을 본 덕구는 오리들이 부럽기도 했다.

왜냐하면, 오리들은 저렇게 안전하게 수탉의 보호를 받으면서 가지만 덕구는 아주 무섭고, 험한 길을 가기 때문이다.

이제는 형, 덕군이도 없으니까 보호받으면서 갈 수가 없다는 말이다.

하지만, 덕구는 이런 생각도 했다.

자기가 맨 나중에 또 좋은 일이 생길 수도 있었다고...

덕구는 이제 아무 도움 없이 혼자 하고 싶었다.

그렇지만 외로웠다.

그래도 끝까지 해보기로 마음먹었다.

이제 이 모험을 끝까지 할 것이다.

그리고 나중에 이 모험이 아주 좋은 추억이 될 것이라고 덕구는 굳게 믿었다.

이 고통 속에서도 차근차근 알아가며 슬프고, 신나는 모험이 될 거라고... 또 굳게 믿었다.

그러다가 오리들이 덕구를 봤다.

그리고 이렇게 말했다.

"수탉님! 수탉님! 덕구가 탈출했어요!"

여러 오리들이 수군거리기 시작했다.

수탉이 또 우렁차게 말했다.

"알았다! 알았어! 다들 한꺼번에 말하지 말고 한 마리씩 말해라! 알겠나?"

"네!"

그러다가 어떤 오리가 덕구에게 다가갔다.

덕구를 쪼고, 덕구의 목을 아주 아주 세게 물었다.

순간, 수탉과 오리들도 쪼고 물었다.

"아야! 아니 내가 뭘 했다고 이렇게 많이들 쪼고 물어?

떠돌이인 게 어때서? 모험하러 왔다! 왜?

그리고 내 마음은 내 거니깐 내 마음대로 한 게 왜?

그래!

난 이제부터 떠돌이 개, 덕구다!"

덕구가 큰 소리로 말했다.

그럴수록 오리들과 수탉은 덕구를 더 쪼고, 더 물었다.

덕구는 너무 고통스러워서 도망치려고 했지만, 도저히 안 되었다.

너무 많이 꽉 물고, 꽉 쪼았던지 덕구는 여기저기 많이 상처가 났다.

덕구는 못 참아서 그만 도망쳐 버렸다.

덕구는 도망치다가 덫을 밟을 뻔했다.

쥐덫이다.

쥐 한 마리가 덫에 있는 치즈를 먹으려고 덫을 밟으려고 했다.

그때 덕구가 나섰다.

"조심해!"

덕구가 쥐를 안았다.

순간 덕구가 쥐를 안다가 꼬리에 쥐덫이 스쳐서 쥐덫에 꼬리가 걸렸다.

"으악!"

덕구가 비명을 질렀다.

하지만 쥐덫에 걸린 것도 좋은 점이 있었다.

오리들이 수다를 떨기 시작했다.

"덕구가 어린대도 쥐를 놓치지도 않고, 꼬리가 덫에 걸

렸어도 끝까지 쥐를 구했어!”

오리들의 칭찬 덕분에 덕구는 힘이 나서 쥐에게 말을 걸었다.

“괜찮아?”

“응~ 괜찮아~ 날 구해줘서 정말로 고마워~”

“ㅎㅎ 나도 고마워”

“왜?”

“내가 너를 잡아먹을까 봐 도망갈 수도 있었는데...

너는 날 끝까지 믿어줘서 도망가지 않았어.

그래서 오리들에게 난 칭찬받았잖아.”

“응... ㅎㅎ”

“우리 친구 하자.”

“그래!”

“안녕! 난 덕구야~”

“안녕! 난 빽빽이야~

내 이름을 병아리 같다고 놀리지 않아 줘서 고마워.”

“응~”

그렇게 덕구와 생쥐 빽빽이는 친구가 되었다.

“아참! 내가 모험을 하고 있었거든... 나랑 같이 모험을 떠날래?”

“그래!”

덕구와 생쥐 빽빽이는 둘이 걷고 또 걸었다.

“너는 좋겠다. 차가 오면 몸이 작아서 틈 사이로 피해 갈 수 있겠다.”

덕구는 부럽고 시무룩한 말투와 표정으로 말했다.

“아니야~ 나도 안 좋은 점이 있어.”

“뭔데?”

“나는 몸이 작아서 잘 차이고, 내가 약하다고 날 얕잡아 봐.

그래서 아까처럼 사람이 날 뻥! 일부로 차서 내가 쥐덫 쪽으로 날아간 거야. 그런데 하필이면 내가 배고픈데 앞에 치즈가 있지 뭐야... 내가 제일 좋아하는 치즈...”

“아하! 그랬구나~”

"어쨌든 날 구해줘서 정말 정말 고마워~"

"응~ ㅎㅎ"

"우리 이제 모험을 떠나자!"

"그래!"

그렇게 덕구와 삑삑이는 모험을 떠났다.

해가 질 무렵, 덕구와 삑삑이는 바쁘게 달렸다.

모험을 떠난 시간은 저녁 오후 5시쯤이었는데 지금 시각은 오후 6시 정각이다.

"차도는 어디까지일까? 지금 우리가 걷는 차도..."

덕구가 말했다.

사실 덕구와 빽빽이는 사람들이 너무 많아서 5시쯤에서 6시 정도는 계속 차도 끝 쪽에서 걷고 달렸다.

힘이 넘칠 때는 달리고, 힘들 때는 걷는다.

덕구가 말했다.

"이젠 인도에 사람들이 별로 없으니깐 인도로 가자!"

"응~"

무더운 여름이 지나고, 신선한 초가을이 되었다.

다음날 덕구와 빽빽이는 어제 너무 더워서 시원한 시냇가를 찾고 있었다,

"어! 저기!"

덕구가 시냇가를 찾았다.

작지만 시원한 시냇가이다.

하지만 가파른 절벽 아래에 시냇가가 있었다.

물 폭포가 쏟아졌다.

빽빽이가 말했다.

"시냇가가 이 높은 절벽 아래라 못가... 너무 가파르네..."

빽빽이가 이어서 말했다.

"위험해!"

덕구는 반대였다.

"에이! 그냥 뛰어내리면 괜찮아!"

"그래도... 위험하잖아..."

"너 그렇게 하려면 오지 마! 나 혼자 놀 거야. 그것도 아주 재밌게..."

덕구가 혼자 물에 뛰어들었다.

다행히 잘 자리를 잡았다.

"위험해!"

하지만 빽빽이는 그것도 모르고 뒤늦게 말했다.

빽빽이가 얼른 달려가서 보니 다행히 덕구는 안전했다.

"그 봐~ 내 말이 맞지?"

덕구의 목소리가 크게 울려 퍼졌다.

"아~ 알았어! 나도 한번 갈게!"

빽빽이도 그만 어쩔 수 없이 결국 절벽 아래에 있는 시냇가로 뛰어들었다.

"으악!"

그런데 그냥 물만 튀길 뿐 안전했다.

"봐~ 내 말이 맞지?"

"응!"

그렇게 신나게 덕구와 빽빽이는 물놀이를 즐겼다.

제5화 험한 길

다음날, 비가 많이 왔다.

덕구와 삑삑이는 비를 피할 곳을 찾아 달렸다.

다행히 평상을 찾아 비를 피했다.

평상에는 아무도 없었다.

그런데 갑자기 배가 고팠다.

덕구는 주위를 둘러보았다.

다 식물뿐이다.

“아~ 배고파...”

밥은 없었다.

“어떡하지?”

덕구가 생각했다.

그때 어디선가 발걸음 소리가 났다.

빽빽이가 말했다.

“두 걸음, 두 발이 있으니까 바로...”

“사람이야!”라고 말하려고 했는데...

“사...”밖에 못 말했다.

왜냐하면 누구인가 덕구를 그물로 덥석 뒤집어씌웠기 때문이다.

“살려주우읍...”

그때 덕구에게 입마개를 씌웠다.

“안돼!”

빽빽이가 손을 물려고 했을 때 사람이 빽빽이를 내동댕이 쳐서 떨어졌다.

“쿵! 아야!”

그만 빽빽이는 엉덩방아를 찧고 말았다.

그 순간 사람은 빨리 도망쳐 빽빽이는 덕구를 구할 수 없었다.

사람은 사라졌다.

빽빽이는 울었다.

하지만 사람은 나타나지 않았다.

“흑흑… 어떻게… 덕구를 잃었어.”

빽빽이는 훌쩍훌쩍 울었다.

한편 덕구는 조그만 철창 안에 넣어졌다.

떠돌이 개, 덕구를 잡은 것이다.

덕구가 말했다.

“살려줘! 나는 원래 이런 삶이 아니야!

내 삶을 살고 싶은데…”

덕구를 가둔 사람은 그저 ‘멍멍’이라는 소리로만 들렸다.

하지만 덕구는 울지 않고 탈출할 방법을 생각했다.

그러나 좋은 생각이 떠오르지 않았다.
그래도 덕구는 생각했다.

다음날 덕구는 생각을 밤새도록 해서 잠을 하나도 못 자서 피곤했다.
그때 누군가 덕구한테 다가와 철창에 갇힌 덕구를 트럭에 실었다.
덕구는 당황스러웠다.

"어디로 가는 것이지?"
그렇게 서울로 갔다.

그런데 트럭 운전사가 졸음운전을 했다.
그래서 이리 쿵! 저리 쿵! 왔다 갔다 하며 운전했다.
"예! 신난다."
덕구는 이렇게 긍정적이지만 다른 사람들은 반대로 불안했다.
"이런! 이러다가 사고 나는 거 아니야?"
어떤 다른 차 운전사가 말했다.
하지만 덕구는 재미있었다.

그런데 그때 트럭이 나무에 부딪혔다.

꽝!

그 순간 에어백이 나왔다.

사고가 났다.

'꽝' 하는 큰소리가 났다.

"으악!"

트럭 운전사와 덕구가 동시에 소리쳤다.

그때 누가 112에 전화했다.

다른 승용차 운전사였다.

한편 삑삑이는 덕구를 찾았다.
하지만, 덕구는 못 찾았다.
그래서 온 동네를 다 돌아다녔지만 역시 덕구는 없었다.
삑삑이는 내일 다시 찾기로 하고 벤치 아래에서 잤다.
짧은 가을이 지나 춥고, 새하얀 눈이 내리는 겨울이 되었다.

다음날 삑삑이는 다시 덕구를 찾으러 갔다.
그런데 어디선가 아기도 홀릴 것 같은 엄청 맛있는 떡 냄새가 났다.
결국 아기보다 더 작은 쥐인 삑삑이는 떡 냄새에 홀려 떡 냄새를 따라갔다.

덕구는 트럭에 그대로 앉아 있었다.
그런데 마침 창문이 열려있어서 덕구는 창문을 통해 나갔다.
트럭 운전사는 덕구가 나간 것을 몰랐다.
덕구는 계속 삑삑이를 찾아갔다.
돌아갈 수 있는 길이면 꼭 그 길로 갔다.
신호등은 다행히 계속 초록 불이어서 바로바로 건널 수 있었다.

먼 길을 지나 고속도로를 지나 과천에 와서 놀이터에 도착했다.
놀이터에서 빽빽이를 찾았지만, 빽빽이는 없었다.

덕구는 벤치에 앉아서 쉬려고 벤치에 앉으려고 하다가 벤치 아래를 보았다.
"아이쿠! 이게 누구야!"
벤치 아래에 빽빽이가 자고 있었다.

덕구는 너무나 반가워서 소리 질렀다.
"빽빽아!!!"
그 소리에 빽빽이는 깨어났다.
"응... 누구야...?"
빽빽이가 말하면서 눈을 떠보니 덕구가 앞에 있었다.
"덕구야!"
빽빽이도 소리를 질렀다.

그래서 서로 부둥켜 껴안았다.
덕구는 속으로 이렇게 말했다.
"난 역시 천재 개야! 이렇게 먼 길을 혼자 왔으니까..."
사실 덕구는 이렇게 먼 길을 올 때 많이 헤매었다.

멍메!
짹!짹,

제6화 추운 눈

눈이 펑펑 내리는 어느 12월이었다.

덕구와 빽빽이는 벤치 아래에서 덜덜 떨고 있었다.

덕구가 말했다.

"너무 추워~"

빽빽이도 말했다.

앞에 불이 켜져 있는 아파트를 본 덕구는 이렇게 생각했다.

'저기 불이 켜져 있는 집에 사는 개는 참 좋겠다.

하지만 나처럼 많이 자유로울 수는 없겠지...'

빽빽이는 마치 덕구의 생각을 들은 것 같이 눈썹이 조금 내려간 채로 덕구를 바라보았다.

오후가 되자 회사에서 퇴근하는 차들이 많았다.

덕구와 삑삑이는 다시 길을 걷고, 또 걸었다.

12월 11일이 되자 방학을 일찍 한 아이들은 추운지 본지 집에서 놀고 있었다.

한 길고양이가 지나갔다.

눈처럼 하얀 길고양이였다.

그 길고양이는 다친 흉터도 하나도 없는 새하얀 길고양이였다.

그 길고양이는 덕구를 보고서는 아무렇지도 않은 듯 가버렸다.

길을 지나가던 개미 한 마리가 덕구를 보고 말했다.

"이렇게 추운 겨울날에 농장에라도 들어가지 않네~"

하지만 덕구는 절대로 농장이 그립고, 농장으로 가고 싶은 마음이 세균만큼도 없었다.

그 말을 들은 삑삑이는 기분이 나쁜지 그 개미를 째려보며 이렇게 생각했다.

'자기도 집에 안 들어가면서!'

삑삑이는 덕구 편이었다.

밤이 되자 눈은 그쳤어도 몹시 추웠다.

길고 긴 한밤중이었다.
빽빽이는 깼다가 다시 잤다.
30분 뒤 이번에는 덕구가 깼다 잤다.
이렇게 3번이나 반복했다.
이러한 것은 부스럭대는 소리 때문이었다.
바로 여우의 소리였다.

덕구는 여우를 잡으려고 덫을 밤새 만들었다.
1시간...
2시간...
3시간...
4시간이 지나서 드디어 덫을 완성하였다.
덫은 참새잡이 덫으로 미끼인 고기를 놓았다.
덕구는 여우가 오길 기다렸다.

드디어 여우가 나타났다.
여우가 고기를 먹자 덕구는 나뭇가지를 당겨서 참새잡이로 여우를 잡았다.
그 여우는 아주 아주 빠른데 덕구는 그 날쌘 여우를 잡은 것이다.
여우가 "우~우~"하고 짖자 빽빽이는 깼다.

“우~우~”

여우가 또 짖었다.

덕구는 여우를 안 보이는 곳에 두고 소리도 안 들리는 곳으로 숨겨 놓았다.

다음날, 덕구는 여우가 있는 곳으로 갔는데 여우가 사라졌다.

여우가 없었다.

덕구는 당황스러웠다.

덕구는 생각했다.

‘여우가 탈출해서 사람들과 동물들에게 피해를 주면 어떡하지?’

덕구는 걱정하다가 뒤를 돌아보았다.

그런데 덕구 바로 뒤에 그 여우가 있었다.

덕구는 깜짝 놀라서 뒤로 엉덩방아를 찧었다.

“아이코! 아파라!”

그때 여우가 말했다.

"네가 날 덫에 가둔 거니?"

덕구는 목이 메어 더 이상 말이 나오지 않았다.

여우가 또 말했다.

"네가 날 덫에 갇히게 해서 잡은 거니?"

덕구는 더 말문이 막혔다.

여우는 더욱 이상하다는 표정을 지으면서 계속 말을 했다.

"네가 날 가둬서 뭘 하려고?"

덕구는 드디어 말을 조금 할 수 있었다.

"그... 그게..."

여우는 덕구에게 더더욱 다가가서 말했다.

"날 가둬서 어떻게 하려고?"

덕구는 이제 절대로 말이 안 나왔다.

새벽 6시가 되자 삑삑이가 깼다.

삑삑이는 덕구를 보고 말했다.

"무슨 일이야?"

덕구는 더 당황스러워졌다.

덕구는 울음을 터뜨릴 것 같았지만 울음을 꾹 참았다.

1시간, 2시간이 지나고 덕구는 말을 못 했다.

여우랑 삑삑이는 아무 말 없이 덕구만 계속 바라보았다.

8시 10분이 되자, 여우는 드디어 갔다.

삑삑이는 덕구에서 무슨 일이 있었냐고 물어보았다.

그래서 덕구는 여우와 있었던 이야기를 삑삑이에게 다 해주었다.

다음날 덕구는 먹을 음식을 찾았다.

그때 한 올빼미가 왔다.

올빼미는 덕구에게 말을 걸었다.

“스케이트 타기 경기가 열린대!”

덕구가 말했다.

“진짜?”

덕구는 삑삑이에게도 스케이트 타기 경기에 가자고 말했다.

삑삑이도 덕구와 함께 가자고 말했다.

덕구와 삑삑이는 아침을 먹고 스케이트 경기장으로 갔다.

덕구와 삑삑이는 아침밥을 다 소화하고 왔다.

덕구는 삑삑이에게 스케이트 타는 법을 알려주었다.

발을 V자로 만들고 오리걸음처럼 뒤뚱뒤뚱하며 오른발, 왼발 순서대로 바닥을 민다.

힘들었다.

그리고 연습을 다 한 뒤 이제 경기가 시작되었다.

“준비~, 땅!!”

총소리가 울리자 삑삑이와 덕구 그리고 다른 동물들이 다 출발했다.

하지만 삑삑이는 스케이트를 잘 타지 못했다.

앞서가던 덕구가 말했다.

“빽빽아~

배우던 대로 해~”

빽빽이는 덕구가 스케이트를 타다가 자기 때문에 말하다가 넘어져서 다칠까 봐 걱정되었다.

다행히 덕구가 앞을 보고 빽빽이에게 말해서 안 넘어졌다.

빽빽이는 계속 스케이트 타기에 집중했다.

이제 마지막 한 바퀴가 남았다.

이제 거의 끝 날쯤에 덕구와 빽빽이가 완전 똑같이 들어오면서 동시에 둘 다 1등을 했다.

덕구는 너무너무 좋아서 펄쩍펄쩍 뛰었다.

빽빽이도 그랬다.

작가의 말

김태희

여러분은 이 '떠돌이 개 덕구' 책을 읽고 어떤 마음이 들으셨나요?

덕구는 떠돌이 개가 아닙니다.

친구와 같이 살고, 여러 곳에도 가 봤어요.

덕구는 떠돌이가 아니라 모험가입니다.

모험가는 여러 곳을 모험하는 사람이죠.

덕구의 꿈도 모험가였어요.

모험가들은 여러 곳을 모험하는 사람이라고 이야기했지요.

덕구도 모험하면서 친구들을 만났어요.

덕구는 계속 모험하고 싶어 합니다.

여러분들도 멋진 모험을 하고 멋진 꿈을 이루세요!!

여우를 보고 깜짝 놀란 덕구

덕구와 삑삑이